BWYSTFILOD BACH AM BYTH!

LITTLE MONSTERS RULE!

Lluniau gan
yr anhygoel
Adam Stower

Addasiad
Manon Steffan Ros

KU-501-165

atebol

Roedd eira'n disgyn ar Ysgol y Bwystfilod wrth i'r bwystfilod bach newydd gyrraedd ar gyfer eu diwrnod cyntaf.

Snow was falling on Monster School as new little monsters arrived for their first day.

Doedd neb yn fwy cyffrous na yeti
o'r enw Fflwffyn – yr un lleiaf, mwyaf ciwt ohonyn nhw i gyd.
Roedd yn edrych yn debycach i degan meddal na bwystfil.

'Rhyw diwrnod, mi fydda i'n CODI OFN ar y byd!' dywedodd.

No one was more excited than the littlest, cutest one, a yeti named Furball.
He looked more like a cuddly toy than a monster.

'One day I'm gonna SCARE the world!' he said.

Chwarddodd holl fwystfilod MAWR yr ysgol.
'HA! HA! HA!' 'All hwn ddim codi ofn ar chwannen!'
'Beth am i ni godi ofn arno?' 'UN! DAU! TRI!'
Ar TRI, taflodd pawb beli eira ar Fflwffyn bach.

All the BIG monsters at the school sniggered.
'HA! HA! HA!' 'He couldn't SCARE a FLEA!'
'Let's SCARE the LIFE out of him!' 'ONE! TWO! THREE!'
On THREE they pelted little Furball with snowballs.

DONC!

DONC!

DONC!

Roedd yr athrawon yn gas wrth y disgyblion. Roedd Miss Swyn yn GWGU wrth roi gwersi ysgub ar doriad gwawr.

'WAW! Fi fydd yr yeti CYNTAF i hedfan!'
meddai Fflwffyn, gan neidio i'r blaen.

Ond gwnaeth y wrach hud a lledrith ...

The teachers were horrible to the pupils. The SCOWLING Miss Spell took broomstick lessons at dawn.
'WOW! I will be the FIRST flying yeti!' said Furball, jumping on the front. But the witch cast a spell ...

Llamodd yr ysgub fry i'r awyr mewn CHWINCIAD CHWIM!
Daliodd y bwystfilod bach nerth esgyrn eu dwylo!

The broomstick went *soaring* into the sky at SUPER SPEED!
The little monsters clung on for dear life!

'BOBOL BACH!'

'YIKES!'

Wrth i'r ysgub hedfan tin dros ben,

As the broomstick did a loop the loop,

SYRTHIODD
yr holl fwystfilod
i'r llawr!

ALL the little
monsters
fell off!

CRASH!

'AAAA!'

bloeddiodd pawb, cyn glanio
mewn pentwr yn yr eira – gyda
Fflwffyn druan ar y gwaelod!

'Argh!' they cried, before landing in a heap
on the snow – with poor Furball at the bottom!

Yn y prynhawn, roedd Mr Kraken yn dysgu nofio
yn y llyn. Heddiw, roedd dan drwch o REW.

'Dwi'n mynd i fod yn FWYSTFIL MÔR!' meddai Fflwffyn.

In the afternoon Mr Kraken took swimming lessons
in the lake. Today it was covered in ICE.
'I am going to be a SEA MONSTER!' said Furball.

Torrodd yr athro'r RHEW
wrth iddo blymio i'r llyn!

The teacher broke the ICE
as he dived into the lake!

Roedd o wedi hen arfer gyda'r **oerfel**. Ond pan **neidiodd**
y bwystfilod bach i'r dŵr, trodd pawb yn LAS!

He was used to the **cold**. But when the **little monsters**
jumped in, they all turned BLUE!

RHUODD Mr Kraken dan y dŵr.

Mr Kraken ROARED under the water.

'RAAAAR!'

Y noson honno, fe wnaeth y prifathro,
Mr Anghenfil, ddysgu gwers ar ...
SUT I GODI OFN!

That night, the headmaster, Mr Ogre,
took a class in ...
HOW TO SCARE!

Ond fe chwaraeodd dric BRAWYCHUS ar y bwystfilod bach.
Dywedodd y prifathro, 'Ar BEN PELLAF y goedwig mae'r llecyn perffaith
i GUDDIO. O fan'no gallwch neidio a gweiddi BW!'

But he played a MONSTROUS trick on the little monsters.
The ogre told them, 'On the FAR SIDE of the forest is the
perfect HIDING place. From there you can leap and shout BOO!'

Ond soniodd Mr Anghenfil ddim am yr allt fwyaf SERTH oedd o'u blaen.
Rasiodd y bwystfilod bach drwy'r goedwig.

But only he knew that the STEEPEST slope was waiting for them.
The little monsters *raced* through the forest.

Wrth gyrraedd yr allt, doedd neb yn gallu STOPIO!

Reaching the edge, they couldn't STOP!

'NAAAA!'

Fe rowlio-powliodd y bwystfilod bach yr holl ffordd i'r gwaelod.

They did roly polys all the way down.

DWFF! DWFF! DWFF!

Roedd y bwystfilod MAWR yn waeth na'r athrawon, hyd yn oed.

Fe dwyllon nhw Fflwffyn i ddringo coeden i nôl eu pêl nhw.

'Fe af i!' meddai'r yeti, yn benderfynol o arddangos ei sgiliau dringo.

The BIG monsters were even more horrible than the teachers.

They fooled Furball into climbing a tree to get their ball back.

'I'll get it!' said the yeti, keen to show off his climbing skills.

Ond pan oedd ar y gangen UCHAF ...

But when he was at the very TOP ...

fe daflon nhw'r bychan i'r awyr.

they catapulted him into the sky.

'AAAAA!'

Hedfanodd yr yeti bach
am filltiroedd.

The little yeti flew for miles.

WWWWSH!

Ond mae pethau sydd
FYNY FRY
yn gorfod dod
I LAWR.

Ac i lawr y daeth Fflwffyn.
A hynny *AR WIB* ...

But what goes UP,
must come DOWN.
And come down he did. At *TOP SPEED* ...

Yn lwcus iawn i Fflwffyn, glaniodd
mewn **pentwr ENFAWR** o eira.

Fortunately for Furball, his fall
was broken by a HUGE pile of snow.

DWFF!

Roedd y **pentwr** yng **nghae chwarae**
ysgol newydd Udwal.

The **pile** was in the **playground** of **Howler's new school.**

Roedd Udwal yn flaidd bach gyda llais hynod, hynod wichlyd.

Howler was a little werewolf with a very high howl.

'WWWHWWW!'

Roedd ei lais mor uchel, doedd dim lle iddo yn Ysgol y Bwystfilod am nad oedd o'n DDIGON DYCHRYNLLYD!

So high that he had been thrown out of Monster School for NOT being SCARY enough!

Yn syth bìn, rhoddodd Udwal y gorau i adeiladu ei flaidd eira a brysiodd draw i BALU'R yeti bach o'r eira.

Roedd hi'n ddiwrnod gwisg ffansi yn yr ysgol, ond doedd dim angen gwisg ar Udwal gan mai blaidd oedd o!

Instantly, Howler stopped building his snow wolf and dashed over to DIG the little yeti out.
It was dress-up day at the school, though Howler had NO need to dress up as he was a werewolf!

'Rhaid dy fod ti'n dod o Ysgol y Bwystfilod!'
meddai Udwal, gan dynnu Fflwffyn o'r eira.
Nodiodd yr yeti bach.

'You must be from Monster School!'
said Howler, hoisting Furball out of the snow.
The little yeti nodded.

'Hoffet ti ddweud wrtha
i beth ddigwyddodd?'

'Do you want to tell me
what happened?'

Adroddodd Fflwffyn yr holl stori drist wrth Udwal.

'Dwi'n YSU am fod yn fwystfil MAWR, i mi gael
PIGO AR y bwystfilod bach!' meddai Fflwffyn.

'NA!' atebodd Udwal yn bendant. 'Os wnei di
HYNNY, bydd y teimladau cas
yn parhau AM BYTH!'

Furball told Howler the whole sorry story.

'I can't WAIT to become a BIG monster so I can
PICK ON all the little monsters!' said Furball.

'NO!' replied Howler firmly. 'If you do THAT
the horribleness will go on FOREVER!'

Udodd Udwal, gan ddenu'r plant i gyd i'r cae chwarae.

Howler gathered the kids in the playground by howling.

'WWWW! WNEWCH CHI HELPU FI I DROI YSGOL GAS YN GLÊN?'

'WOOH! WILL YOU HELP ME TURN A NASTY school NICE?'

'GWNAWN!'

'YES!'

Ond SUT oedd gwneud hynny?

But HOW would they do that?

Ar ôl iddi dywyllu, brasgamodd y rhai bach drwy'r storm eira i Ysgol y Bwystfilod.

Under the cover of darkness, the little ones traipsed through a snowstorm to Monster School.

Llamodd pawb dros y wal cyn dringo drwy ffenest agored.

They scaled the wall before climbing through an open window.

Nesaf, aeth pawb ar flaenau eu traed i lawr y grisiau carreg i ystafell wely'r bwystfilod bychan.

Next, they tiptoed down the stone steps to the little monsters' dormitory.

ChCh!
ChChCh!
ChChCh!

NEUADD YR YSGOL!

'Wyt ti'n siŵr fod hyn yn syniad da?' sibrydodd Flwffyn.
'Fe allwn ni fod mewn trafferth MAWR!'

The SCHOOL HALL!

'Are you sure we should do this?' whispered Furball.
'We could get into BIG trouble!'

'Paid â bod ofn,' atebodd Udwal, gan ddal ei law.
Roedd calon y blaidd yn curo fel drwm.
Roedd ofn arno yntau HEFYD!

'Don't be scared,' replied Howler, taking his hand.
The werewolf's heart was pounding.
He was frightened TOO!

Y tu mewn i'r neuadd grand, aeth pawb ati
i addurno'r ystafell ... gan osod cadwyni papur,
chwythu balwnau, a pharatoi'r diodydd pop a'r cacennau.

Once inside the grand hall, they set to work ...
decorating the room with paper chains,
blowing up the balloons
and laying out the fizzy pop and cakes.

Roedd hi'n AMSER PARTI!

It was PARTY TIME!

TWANG!

Dechreuodd band Y Bwysfilod Bach ganu eu cân roc gyntaf.
Roedd y twrw'n FYDDAROL!

Roedd Udwal yn ganwr arbennig.
Roedd ei lais uchel yn swnio MOR wych gyda'r wal o SŴN.

The Little Monster band began their first rock song.
The noise was DEAFENING!

Howler was the perfect lead singer.
His high voice sounded SO cool
with the wall of NOISE.

'WoOo! WoOo! WoOo! WoOo!'

Mewn dim o dro, TARANODD Miss Swyn i mewn i'r neuadd.
'BETH YN Y BYD Y'N DIGWYDD YMA?' bloeddiodd.

In no time, Miss Spell THUNDERED into the hall.
'WHAT IS THE MEANING OF THIS?' she boomed.

'YMUNWCH Â'R PARTI!'
canodd Udwal.
'IE! Dewch, Miss Swyn!
Beth am DDAWNSIO?' meddai Fflwffyn.

'JOIN THE PARTY!' sang Howler.
'YES! Come on, Miss Spell!
Let's DANCE!' said Furball.

Cydiodd yn ei llaw
a'i harwain i ddawnsio.

He took her by the hand and led her to the dance floor.

Cyn hir, roedd y wrach
yn symud i'r rhythm gyda'r
holl fwystfilod bach.

Soon the witch found herself bopping
along with all the little monsters.

Trodd ei gwg
ben i waered ...

Am y tro cyntaf yn ei bywyd,
roedd Miss Swyn yn gwenu!

Her scowl turned upside down ...
For the first time in her life,
Miss Spell was smiling!

'O BOBOL BACH!'

'GULP!'

Yng nghanol yr holl hwyl, torrodd y
bwystfilod MAWR drwy'r drws.

Just as they were all having fun, the
BIG monsters BROKE DOWN the door.

BWM!

Safodd y bwystfilod MAWR yn y drws, yn *SGYRNYGU*.

''DAN NI AM EICH TAFLU CHI I GYD
YN BELL I'R GOFOD!' bloeddiodd un.

The BIG monsters stood in the doorway, *SNARLING*.
'WE ARE GOING TO CATAPULT THE LOT OF YOU INTO SPACE!' shouted one.

'Dach chi'n siŵr? Mae 'na LAWER
o ddiod pop oren i chi!' meddai Fflwffyn.

'Are you sure? There's LOTS
of fizzy pop!' said Furball.

'FAINT?'

'HOW MUCH?'

'Galwyni!'

'Gallons!'

Rhuthrodd y bwystfilod MAWR at y bwrdd,
cyn cymryd LLOND eu dwylo o wellt yfed a dechrau slochian.

The BIG monsters dashed to the table, GRABBED a handful of straws and began slurping.

Cyn hir, roedd pawb yn cael hwyl wrth chwarae gêm o
Pwy All Dorri Gwynt yn Swnllyd?

Before long, they were amusing everybody with
a game of *Who Can Burp the Loudest?*

'BYRP!'

'BYYYYYRP!'

'BYYYYYYYRP!'

'BYY...'

Stopiodd y sŵn ar ei hanner.
Roedd pawb yn y neuadd
yn llonydd ac yn dawel.

Y PRIFATHRO!

Dechreuodd Mr Anghenfil ruo ...

The burp stopped mid-burp.
Everyone in the hall was still and silent.
It was the HEADMASTER! Mr Ogre began to growl ...

'PARTIIIII!' gwaeddodd.

'LET'S PARTY!' he said.

'HWRÊ!'

'Dan ni wedi LLWYDDO, Udwal! Mae hon yn ysgol glên!' ebychodd yr yeti bach.

'We DID IT, Howler!' exclaimed the little yeti.

'Ydi wir, Fflwffyn!' cytunodd y blaidd bach.

'We certainly DID, Furball!' agreed the little werewolf.

'WOOO!'

Ac aeth y parti yn ei flaen nes toriad y wawr!

And everyone partied until dawn!

Erbyn y bore, roedd pawb yn gorwedd mewn pentwr llon.

'O HYN YMLAEN,' meddai'r prifathro,
'YSGOL Y BWYSTFILOD fydd yr ysgol
FWYAF CAREDIG yn y BYD!'

By morning, they were all lying in a crumpled heap.
'From THIS day forward,' said the headmaster, 'MONSTER SCHOOL will be
the NICEST school in THE WORLD!'

'HWRÊ!'

Gyda'i gilydd, roedd y bwystfilod bach wedi troi
ysgol GAS yn ysgol GLÊN.

Together, all the little monsters had turned this NASTY school into a NICE one.

Weithiau mae angen rhai bach fel CHI i wneud
y byd yn LLE GWELL.

Felly dwedwn gyda'n gilydd ...

Sometimes it takes little ones like YOU to make the world a BETTER place.
It just goes to show ...

BWYSTFILOD
BACH AM BYTH!

LITTLE MONSTERS RULE!

Ond ... roedd pawb wedi anghofio am Mr Kraken,
oedd yn dal o dan ddŵr y llyn.

But ... they had all forgotten about Mr Kraken, who was still lurking in the lake.

RAAAR!

BYDD Y BWYSTFILOD BACH
YN DYCHWELYD!
A'R RHAI MAWR HEFYD!

THE LITTLE MONSTERS
WILL RETURN!
AND SO WILL THE BIG ONES!